MW00572671

GUÍA DE LECTURA

Escrita por Natalia Torres Behar

El túnel

de Ernesto Sábato

ERNESTO SÁBATO

UN ESCRITOR MULTIFACÉTICO

- **Nacido en 1911 en Rojas (Argentina)**
- **Fallecido en 2011 en Santos Lugares (Argentina)**
- **Premios literarios:**
  - Premio Miguel de Cervantes (1984)
  - Premio Gabriela Mistral (1984)
  - Premio Jerusalén (1989)
  - Premio Internacional Menéndez Pelayo (1997)
- **Algunas de sus obras:**
  - *El túnel* (1948), novela
  - *Sobre héroes y tumbas* (1961), novela
  - *El escritor y sus fantasmas* (1963), ensayo
  - *Abaddón el exterminador* (1974), novela

Novelista, ensayista y pintor argentino, Ernesto Sábato nació en Rojas (Buenos Aires) en el seno de una familia de inmigrantes italianos. Se doctoró *cum laude* en Física en 1937 en la Universidad de La Plata y fue becado para trabajar en el laboratorio Curie en París. Allí tuvo vínculos con el movimiento surrealista y finalmente dejó para siempre la ciencia para dedicarse a su vocación de escritor. Tras su vida en París, Ernesto Sábato regresó a Argentina en 1940 y se vinculó como profesor a la Universidad Nacional de Buenos Aires. La publicación de unos artículos que atacaban el régimen de Perón lo obligaron a abandonar la enseñanza por un año, periodo en el cual preparó la publicación de su libro Uno y el universo (1945). Su obra consta de múltiples ensayos y de tres novelas que la crítica sabatiana concuerda en que constituyen una trilogía: *El túnel* (1948), *Sobre héroes y tumbas* (1961) y *Abaddón el exterminador* (1974).

Su postura política contra la dictadura cívico-militar argentina (1976-1983) se reflejó en artículos y columnas de la prensa, así como en sus libros *El caso Sábato; torturas y libertad de prensa; carta abierta al General Aramburu* (1956) y *El otro rostro del peronismo: carta abierta a Mario Amadeo* (1956). En 1984, Sábato se convirtió en el segundo escritor argentino en obtener el Premio Miguel de Cervantes de Literatura (después de que Jorge Luis Borges lo recibiera en 1979), máximo galardón de las letras españolas, y cuenta con otras distinciones como el galardón Gabriela Mistral otorgado por la Organización de Estados Americanos (OEA). El escritor falleció en Santos Lugares en el año 2011.

EL INFORME SÁBATO

En 1984 presidió la Comisión Nacional sobre Desaparición de Personas (CONADEP), que redactó el informe «Nunca más», conocido como «Informe Sábato», sobre los desaparecidos argentinos entre 1976 y 1982. Encargado por el primer presidente democrático Raúl Alfonsín tras terminar la dictadura, este documento entregado en 1984 dio origen al procesamiento y condena de los máximos responsables de las juntas militares de la dictadura.

EL TÚNEL

UN LABERINTO SIN SALIDA

- **Género:** novela psicológica, novela policíaca
- **Edición de referencia:** Sábato, Ernesto. 2004. *El túnel*. Bogotá D.C.: Editorial Planeta
- **Primera edición:** 1948
- **Temáticas:** aislamiento y soledad, imposibilidad de una comunicación efectiva

El túnel (1948), del argentino Ernesto Sábato, es una de las grandes novelas sudamericanas del siglo pasado. Su primera edición salió a la luz en Buenos Aires durante el primer período presidencial de Juan Domingo Perón (1946-1952) y se agotó de forma inmediata. Un año después, Albert Camus escribió al autor para decirle que había recomendado a la editorial Gallimard la traducción al francés de su relato. En sus diarios asegura incluso que Thomas Mann quedó impresionado al leer la obra.

El relato, montado sobre los recursos de la novela policíaca, está narrado en primera persona y nos cuenta las motivaciones que llevaron a Juan Pablo Castel a asesinar a María Iribarne, para que él, entre los lectores, pueda encontrar alguna persona que lo entienda. En este ejercicio, el autor lleva al lector por el laberinto desesperanzador de su subconsciente.

El túnel nos presenta los esfuerzos de trascendencia y conexión de un personaje que vive entre los millones de habitantes anónimos en la gran urbe moderna que es Buenos Aires.

RESUMEN

CONFESIÓN

Juan Pablo Castel ha asesinado a María Iribarne. Este pintor confiesa su crimen en las primeras líneas, consciente, además, de que el proceso que lo llevó a prisión aún es reciente y probablemente siga en el recuerdo de todos. Pero esta no es su única confesión; Castel también admite por qué escribe acerca de las circunstancias que lo llevaron a matar a su única fuente de salvación: quiere encontrar entre los lectores de sus páginas uno que logre entenderlo, «[a]unque sea una sola persona» (Sábato 2004, 49). Así, empieza a narrar un crimen del que desde el comienzo sabemos quién es el culpable, en un viaje para descubrir la razón que lo llevó a cometer tal hecho.

¿CASUALIDAD?

En la inauguración del Salón Primavera de 1946, una exposición de arte llevada a cabo en la ciudad de Buenos Aires, Juan Pablo Castel presentaba su cuadro titulado «Maternidad». En este cuadro se escondía un detalle que muchos asistentes y hasta críticos habían ignorado pero que para Castel significaba su esencia: una pequeña ventana en la esquina superior izquierda desde donde se veía a una mujer en una playa mirando el mar. La única persona que lo notó y que se quedó admirándola fue una mujer.

Castel se obsesiona con ella y la busca por toda la ciudad durante meses. En su búsqueda, el pintor fantasea con las posibles oportunidades que tendrá para encontrarla de nuevo y sobre las maneras en que la abordará. Su proceso lo ha llevado a descubrir quién es la misteriosa mucha-cha: María Iribarne. Cuando por fin la encuentra por la calle, Castel la aborda y le pregunta, sin preámbulos, por la escena de la ventana de su cuadro.

María, en principio, finge no recordar la escena hasta que le confiesa a Castel, después de que este se marchara decepcionado, que la tiene muy presente. Castel no deja de pensar en ella y quiere saber si María también piensa en él. Por fin obtiene esa respuesta en una carta que María le deja con su esposo ciego, Allende, mientras ella se encuentra de viaje en su estancia (en Argentina, hacienda de campo destinada al cultivo y, sobre todo, a la ganadería). Muy confundido por el contenido de la carta y por el estado civil de María, Castel empieza a deducir una serie de hipótesis en relación con la historia que vive y por qué María no le había mencionado nada de su matrimonio. Una vez regresa María a Buenos Aires, empiezan a verse frecuentemente.

AMOR Y OBSESIÓN

Durante más de un mes, Juan Pablo y María mantienen una relación constante. Su felicidad por encontrar alguien que lo sacara de su soledad hace que Castel incluso cambie su percepción horrenda del mundo. Sin embargo, sus continuos celos y cuestionamientos lo atormentan y atormentan a María. Su desesperación crece mientras interroga a María sobre su vida privada, sus relaciones, sus actitudes. Muy consciente de sus impredecibles cambios de conducta, pero abrumado por el desgaste de la relación, Castel se hunde en la bebida y se acuesta con prostitutas. Sueña, entonces, que se transforma en un monstruoso pájaro y, aunque habla como uno, nadie lo nota. Desesperado, llama a María quien, eventualmente, lo invita a la estancia.

DUDA Y MUERTE

En la estancia, Castel es recibido por los primos de Allende, Hunter y Mimí, que le hacen preguntas sobre su pintura. Cuando finalmente aparece María, se van juntos a caminar por la playa. En silencio frente al mar, María confiesa que la escena del cuadro también le hizo entender que ellos estaban conectados. La felicidad de Castel dura poco, pues el convencimiento de que María y Hunter tienen una relación lo enfurece.

Luego, Castel regresa a Buenos Aires y su realidad no cambia: confundido y decepcionado, bebe y pelea incansablemente, y vuelve a estar con prostitutas. Totalmente descompuesto, le escribe una agresiva carta a María contándole sus sospechas. Aunque se arrepiente de haber enviado la carta, Castel llama a María a la estancia pidiéndole que lo vea en Buenos Aires; si no, se matará. Ante tal amenaza, María acepta, aunque no se presenta al encuentro ya que tiene que regresar con urgencia a la estancia. Castel, que se encuentra muy mal, se dirige al lugar y, aunque recuerda los momentos felices vividos con María, la siente como un ente lejano. En un ataque de celos, tras verla con Hunter, Castel sube por el balcón y la asesina. De regreso en Buenos Aires, Castel le confiesa a Allende sus sospechas de infidelidades de María con Hunter e incluso confiesa la suya. Allende persigue a Castel mientras le grita «¡insensato!» (Sábato 2004, 195). Luego acude a entregarse a la comisaría y al final se entera de que Allende se ha suicidado.

ESTUDIO DE LOS PERSONAJES

JUAN PABLO CASTEL

Juan Pablo Castel es el narrador y protagonista de la novela. Este pintor de treinta y ocho años es muy inteligente, sensible y cínico, además de tener un alto sentido crítico de sí mismo y de su sociedad. Desprecia la frivolidad, arrogancia y trivialidad de grupos elitistas que exhiben una falsa superioridad con jergas especializadas destinadas a impresionar. Quiere trascender y encontrar a alguien que lo entienda, pero, lo quiera o no, se encuentra torturándose con la minucia y el detalle.

Aunque es extremadamente racional e intelectualmente maduro, emocionalmente no lo es, lo cual lo aísla en sus pensamientos y lo hace incapaz de relacionarse con los otros. Algunos críticos han relacionado su nombre, Castel —un arcaísmo que significa castillo—, con una tendencia al ensimismamiento en la fortaleza de su subconsciente. Su encuentro con María Iribarne supone un cambio en su vida y en su pintura y una lucha consigo mismo en su afán por comunicarse y conectarse completamente con ella.

MARÍA IRIBARNE

María es una joven de no más de veintiséis años, de pelo castaño. Casada con Allende, a quien admira profundamente, María es un personaje misterioso para Castel. Su percepción de la escena de la ventana del cuadro «Maternidad» de Castel es su vínculo más grande con él, quien siente en María un alma gemela con que entiende y comparte su soledad.

No obstante, María no le desvela quién es en realidad y la profundidad o matices de esta soledad que parecen compartir es compleja. Uno de los rasgos que precisamente más los diferencian es que María, al parecer, sí sabe cómo desenvolverse en el mundo y relacionarse con las personas de su entorno. Aun así, necesita viajar constantemente a la estancia que regenta Hunter, primo de Allende, donde es más activa y más vital. Estar lejos de la ciudad le sienta bien.

ALLENDE

Allende es el esposo de María Iribarne. Alto, flaco y ciego, este personaje funciona como una contraparte de Juan Pablo Castel, no solo por el vínculo que mantiene con María, cuya conexión resulta un misterio y una obsesión para Castel, sino también por su ceguera y serenidad de espíritu. Su ceguera física contrasta con la ceguera obsesiva de Castel, que no le permite ver más allá de sus conjeturas para comprender realmente a María. Allende ve más claro y más allá que Castel y, por lo tanto, parece conocer la realidad interior que María representa. Esta última siente un gran cariño y una profunda admiración por él, lo cual enfurece a Castel.

HUNTER

Hunter es el primo de Allende, el esposo de María. Es alto, moreno, más bien flaco y de mirada escurridiza. Arquitecto de profesión, Hunter está solo, aunque Castel no logra recordar si esto se debe a que es soltero, viudo o divorciado. También se refiere a él como mujeriego y cínico, superficial y trivial, abúlico e hipócrita. Regenta la estancia a la que María suele ir y la verdad sobre su relación con esta mujer resulta un misterio para Castel, quien está convencido de que son amantes.

MIMÍ

Mimí es malvada, miope, frívola y superficial. Castel la conoce en la estancia, cuando va a visitar a María. Tiene ascendencia francesa, lo cual utiliza para poder justificar su pedantería. De hecho, siempre está utilizando términos en francés, actitud de la que incluso el mismo Hunter se burla.

CONSIDERACIONES FORMALES

ESTRUCTURA Y GÉNERO

El túnel es una novela que está dividida en 39 capítulos cortos. Aunque no tiene divisiones estructurales aparentes, puede discernirse una estructura interna de progresión lógica gracias a una pista que el narrador nos revela. Tras su introducción, Castel asegura que «[t]odos saben que [él] mat[ó] a María Iribarne. Pero nadie sabe cómo la conoc[ió], qué relaciones hubo exactamente entre [ellos] y cómo fu[e] haciendo[s] e a la idea de matarla» (Sábato 2004, 50). En este sentido, el protagonista nos presenta su confesión en tres partes: cuando conoce a María, la relación que existe entre ellos y su deseo de asesinarla. Si se le suman los capítulos iniciales donde se presenta, obtenemos un total de cuatro partes. Esta estructura se complementa a la vez con las técnicas de la novela psicológica y de la novela policíaca.

La novela psicológica

La técnica de la novela psicológica sirve para enfatizar la caracterización interior de Castel, sus conflictos y su transformación influenciada por las acciones externas. En este sentido, la estructura no busca contarnos qué pasó, pues desde el comienzo lo sabemos, sino por qué pasó, cuáles fueron los motivos que llevaron al personaje a llevar a cabo esta acción. Por eso el monólogo interior y el flujo de conciencia son técnicas que sirven al autor para ilustrar los pensamientos y sinsentidos interiores del protagonista.

La novela policíaca

Por otro lado, tenemos la novela policíaca, que tiene como fundamento estructural un acontecimiento trascendental que suele ser un crimen. Así, normalmente, se hace énfasis narrativo en el proceso investigativo. Sin embargo, mientras que en una novela policíaca tradicional los criterios estructurales mediante los cuales se organiza la trama son el crimen, el desconocimiento de la identidad del asesino, el proceso de investigación y la creciente intriga, en *El túnel* existen variantes estructurales, principalmente la de comenzar por el final. El misterio no es quién es el asesino, ni a quién asesina, si no por qué lo hace. Así pues, los géneros de novela policíaca y novela psicológica se entremezclan, pues el misterio no es algo que deba desentrañar un detective con unos datos y hechos específicos, sino que se trata más de un asunto psicológico: el porqué de un crimen y los pensamientos, ideas y obsesiones que llevaron a que Castel matara a María.

ESTILO Y LENGUAJE

Tal vez el rasgo más evidente para el lector de *El túnel* en cuanto al estilo es el carácter hablado de la prosa. El narrador y protagonista de la historia hace uso del flujo de conciencia que ata al lector a un discurso no lineal que dilata y contrae el tiempo de los acontecimientos y de la narración. Desde este flujo, mezclado con apartes donde hay diálogos explícitos, se nos desvela un protagonista que se construye no solo desde sus acciones, sino también, y principalmente, desde sus reflexiones. En ese sentido, es un personaje que se materializa ante el lector como un ser humano lleno de matices y contradicciones.

Este carácter hablado, además, se resalta con el voseo, muy típico del discurso argentino. El uso del voseo en el texto no forma parte de la edición original, sino de una reedición efectuada en 1971 del texto. La sustitución de las formas verbales del «tú» por las del «vos» representa una revisión fundamental del autor frente al problema del habla nacional. No solo el voseo es más natural que el «tú» en el habla argentina de todos los niveles sociales, sino que además es más auténtico. No usar el «vos» es negar lo que lleva implícito, pero usarlo es inscribir el habla argentina en la literatura universal. Sábato afirma en una carta personal que los cambios son suyos y se deben precisamente al deseo de hacer patentes en su novela sus observaciones sobre el lenguaje, contenidas en varios escritos ensayísticos.

TEMÁTICAS Y CLAVES DE LECTURA

EL AISLAMIENTO Y LA SOLEDAD

La soledad del protagonista se evidencia desde el comienzo con el estilo confesional que deliberadamente escogió el autor para narrar su historia. Así, estamos atrapados en la conciencia de Castel, ya que, como lectores, solo conocemos su punto de vista. Experimentamos la sensación creciente de aislamiento del protagonista de varias formas:

- mediante imágenes naturales que refuerzan la idea de soledad y aislamiento del protagonista: el mar, un río oscuro y tumultuoso, islas desiertas, paisajes desolados, una cueva oscura;
- a través del uso de sueños simbólicos como técnica que une tema y estructura en la novela, ya que potencian el profundo aislamiento y soledad del protagonista. En el primer sueño, Castel visita una casa vieja que anhelaba desde

su infancia. Aunque es un lugar familiar, se siente perdido y teme que enemigos escondidos lo vayan a atacar. Pero al sentir que su capacidad de amar se renueva, concluye que la casa representa a María. El sueño significa que, en la soledad, el ser humano busca relacionarse con otro a través del amor, pero que teme los peligros que esto puede traer, como la incomprensión o la desconexión.

La soledad de Castel es autoimpuesta y está causada exclusivamente por su visión negativa de la realidad. Además, también se evidencia que su personalidad, revelada a partir de sus opiniones sobre la humanidad, lo aísla aún más: Castel ve a los seres humanos no como individuos, sino como tipos categóricos o grupos. Incluso cuando debe enfrentarse con personas individualmente, Castel los teme y sospecha. Esto se intensifica si se tiene en cuenta su tendencia a ver motivaciones maliciosas en cualquier cosa que otra persona le diga o haga.

LA IMPOSIBILIDAD DE UNA COMUNICACIÓN EFECTIVA

Ligado al tema anterior, es lícito afirmar que *El túnel* es una novela sobre el problema de la comunicación humana, o, mejor dicho, de la falta de ella. Son múltiples las formas en las que el autor presenta esta imposibilidad. Por ejemplo, en contraste con las imágenes naturales que simbolizan la soledad, el autor presenta imágenes de estructuras construidas por el hombre para señalar la imposibilidad de una comunicación con otros, frecuentemente con barreras como muros, habitaciones, un edificio, la celda de una prisión y, la más significativa, el túnel. Consciente de haber perdido para siempre a María, compara sus vidas separadas con túneles oscuros y paralelos que parecen unirse momentáneamente a raíz de la ventana pintada en su cuadro. Como le sucede al protagonista de Memorias del subsuelo de Dostoyevski, el protagonista en realidad nunca ha salido del túnel para vivir la vida.

El uso de sueños simbólicos también está relacionado con este tema. En su segundo sueño, Castel ha sido invitado a una casa donde el anfitrión hace que él se transforme en un horrendo pájaro. Este evidente guiño kafkiano tiene un resultado inesperado, pues las personas presentes no perciben su metamorfosis y sus esfuerzos por informarles de lo acontecido resultan en la emisión de un chillido que sus compañeros perciben como su voz normal. Este sueño, que ocurre justo después del clímax de la pelea de Castel con María, es seguido de la certeza de que ella lo engaña y tiene un significado claro: tras haber logrado entablar lazos con otras personas, Castel siente que ha sido engañado, pero no tiene forma de comunicarlo.

PISTAS PARA LA REFLEXIÓN

ALGUNAS PREGUNTAS PARA PROFUNDIZAR EN SU REFLEXIÓN...

- ¿Por qué asesinó Juan Pablo Castel a María Iribarne? Dé ejemplos sacados del texto.
- ¿Existe una transformación en Juan Pablo Castel? Justifique su respuesta por medio de ejemplos.
- ¿Qué papel desempeñan los personajes secundarios en la relación de Juan Pablo Castel y María Iribarne?
- ¿Cómo se imagina el cuadro «Maternidad»? ¿Por qué piensa que nadie pudo notar la ventanita?
- ¿Qué papel desempeña la ciudad de Buenos Aires en el desarrollo de la novela?
- ¿Por qué le grita Allende a Juan Pablo Castel «¡Insensato!» (Sábato 2004, 195) cuando este último le dice que María era amante tanto de Hunter como de él?

- ¿Qué importancia tiene la cursiva en el siguiente fragmento de la novela? «[...] toda la historia de los pasadizos era una ridícula invención o creencia mía [de Castel] y que *en todo caso había un solo túnel, oscuro y solitario: el mío, el túnel en que había transcurrido mi infancia, mi juventud, toda mi vida.* Y en uno de esos trozos transparentes del muro de piedra yo había visto a esta muchacha y había creído ingenuamente que venía por otro túnel paralelo al mío, cuando en realidad pertenecía al ancho mundo, al mundo sin límites de los que no viven en túneles (Sábato 2004, 188)».

- *El túnel* ha contado con numerosas adaptaciones al cine y a la televisión, siendo el guion de una de ellas adaptado por el mismo autor. Escoja una y señale las principales diferencias entre la novela y la adaptación. ¿Cómo es el trato de los personajes? ¿Cuáles son las temáticas que se resaltan?

¡Su opinión nos interesa!
¡Deje un comentario en la página web de su librería en línea,
y comparta sus favoritos en las redes sociales!

PARA IR MÁS ALLÁ

EDICIÓN DE REFERENCIA

- Sábato, Ernesto. 2004. *El túnel*. Bogotá D.C.: Editorial Planeta.

ESTUDIOS DE REFERENCIA

- Foster Source, David William. 1971. "Tú y vos en 'El túnel' de Ernesto Sábato". *Hispania*, vol. 54, n.° 2, 354-355. American Association of Teachers of Spanish and Portuguese Stable. Consultado el 1 de septiembre de 2016. http://www.jstor.org/stable/337802

- Gibbs, Beverly J. 1965. "'El Túnel': Portrayal of Isolation". *Hispania*, vol. 48, n.° 3, 429-436. American Association of Teachers of Spanish and Portuguese Stable. Consultado el 1 de septiembre de 2016. http://www.jstor.org/stable/336464

- Meehan, Thomas C. 1968. "Ernesto Sábato's Sexual Metaphysics: Theme and Form in *El túnel*". *The Hispanic Issue* MLN, vol. 83, n.° 2, 226-252. Consultado el 1 de septiembre de 2016. http://www.jstor.org/stable/2908197

- Sauter, Silvia. 2004. *Estudio introductorio de* El túnel *de Ernesto Sábato*. Bogotá D.C.: Editorial Planeta.

- Ortega, José. "Las tres obsesiones de Sábato". *Cuadernos Hispanoamericanos*, n.os 391-393, 125-151. Madrid: Instituto de Cooperación Iberoamericana. Consultado el 1 de septiembre de 2016. http://www.cervantesvirtual.com/nd/ark:/59851/bmcxp7k5

LECTURAS RECOMENDADAS

- Kafka, Franz. *La metamorfosis y otros relatos*. 1985. Madrid: Cátedra.

- Sauter, Silvia. 2004. *Estudio introductorio de* El túnel *de Ernesto Sábato*. Bogotá D.C.: Editorial Planeta.

ResumenExpress.com

Muchas más guías
para descubrir tu pasión
por la literatura

www.resumenexpress.com

Made in United States
North Haven, CT
08 September 2022